꿈의 경계선을 넘어 봤나요?

꿈의 경계선을 넘어 봤나요?

최원진

　꿈은 굉장히 재미있는 주제이다. 식인 공룡을 해치우기 위해 돌고래를 타고 모험을 떠나는 용사 이야기부터 시작해서 거대한 거미와 인간의 대립, 종족 간의 사랑과 배신, 타임루프 섬 탈출물 등 다채로운 꿈을 꿔온 사람으로서 봤을 때, 꿈은 숙면을 방해하고 창의력을 일깨워주는 괴물이다. 덕분에 365일 다크서클을 달고 살지만, 꿈 덕분에 내 일상이 조금이나마 알록달록해진다는 것은 변함없는 사실이다. 내 일상의 망상들은 꿈의 자원이 되어주고, 꿈은 반대로 나에게 소소한 이야깃거리와 글 소재를 던져준다.

　하지만 이 이야기는 단순히 꿈 스토리가 아니다. 오히려 그 너머의 일상을 담고 있다. 사람들 이야기를 듣다 보면, 기이한 꿈을 꿨다는 사람들이 간혹 있다. 그 사람들은 현실에서 한 번도 마주친 적 없는 사람들을 만나고, 한 번도 가보지 않은 곳을 가고, 현실과는 동떨어진 또 다른 현실을 겪었다고 한다. 프로이트적으로 접근하면 꿈이란 사람의 억압된 내면을 표출하고 실현하는 과정이다. 하지만 만약에라는 질문을 던져서, 꿈의 경계선을 넘어가 보면 어떨까? 그 심리적 공간을 벗어나면 무엇이 있을까?

이 이야기는 그 질문에서 시작했다. 우리가 흔히 알고 있는 '루시드 드리머'들이 그 심리적 공간을 벗어나 다른 세계로 진입할 수 있다면, 그곳 주민들과 어떤 교류를 하게 될지, 어떤 하루를 보내게 될지, 그리고 결정적으로 그들에게 우리는 어떤 존재로 비춰질지 궁금했다. 이 책은 그 미지의 세계 일부분을 담은 단편 소설 모음이다. 우리가 알고 있는 세상과 너무 동떨어져 있지 않으면서도 미묘하게 이질적인 세계를 그려보고자 했다. 그 세계 안에서 일어나는 세 개의 다른 사건과 인물이 나오지만, 서로 연결되는 소소한 부분들도 있으니 찾아보길 바란다.

이 책은 꿈의 경계선을 넘어 무한한 상상력을 발휘하고 싶은 사람들을 위한 책이다. 그 경계선 너머의 세상에는 이 책에는 담지 못한 다양한 이야기가 펼쳐지고 있을 테니 말이다.

이 책이 집필되도록 도움을 주신 현해원 작가님과 글Ego 운영팀, 3개월 동안 합평을 통해 다양한 피드백을 준 작가님들, 그리고 나의 글쓰기 여정을 응원해주는 모든 분께 감사 인사를 드린다.

차 례

1번째 단편: 꿈 같은 하루

"제보 들어온 거 더 없어?"

이우스트는 고개를 젓는 부하직원을 보며 허탈함을 느꼈다. 아이 하나가 돌아다닌다는 신고를 받은 지 며칠째다. 똑같은 사람이 여러 번 방문한 경우는 종종 봤어도 이렇게 오랫동안 안 나가고 남아있는 사람은 정말 오랜만이었다. 무해해 보이는 여자아이라 주민들도 위협을 느끼지 않는지 제보가 잘 들어오지도 않았다. 이우스트와 그의 부하직원은 센트럴에 위치한 관리탑을 빠져나오며 한숨을 쉬었다. 된통 혼나고 나오는 길이었다.

처음 신고를 한 건 구역 '사포르니'의 베이커리 사장이었다. 7~8살 정도 되어 보이는 검은 긴 생머리의 여자아이가 가게 밖에서 창문 안을 뚫어져라 쳐다보고 있었다고 한다. 레이스가 가득 달린 핑크색 원피스 잠옷 차림에 맨발인 상태로 말이다. 그 자체만으로도 상당히 의심스러웠지만 '저쪽'에서 넘어온 아이라는 걸 깨닫게 된 결정적인 이유는 눈동자의 색깔 때문이었다. 두 세계 사람은 외적으로는 큰 차이가 없었다. 다만, 각양각색의 눈을 가진 '저쪽' 세계 사람들과 달리,

이곳 사람들은 모두 은빛 눈동자라는 특징이 있었다. 가끔 구분이 어려운 '저쪽' 사람들도 존재했지만 말이다.

대개 색이 있는 눈동자를 보면 경계하는 게 일반적이지만, 베이커리 사장은 배고파 보이는 여자아이가 무슨 위협이 되겠냐며 가게 안으로 들였다고 한다. 달달한 초코빵을 손에 쥐여줬고, 그 아이가 자리에 앉아 열심히 배를 채울 동안 신고를 했다. 단지 여기 있으면 안 되는 아이가 돌아다니니 걱정되는 마음에 신고했을 뿐이었다. 하지만 이우스트가 그 아이를 데리러 갔을 때 아이는 이미 다른 구역으로 떠난 뒤였다. 사장은 이제는 가봐야겠다고 당당하게 인사하는 꼬마를 차마 붙잡을 수 없었다며 미안해했다. 더 큰 문제는 요원들이 곧 잠에서 깨겠거니 했던 안일한 마음에 더욱 적극적으로 찾지 않았다는 것이었다.

관리탑과 요원들이 이 아이에 대한 심각성을 깨닫게 되기까지는 오래 걸리지 않았다. 이 세계에 넘나드는 '저쪽' 사람들을 관리하기 시작하면서부터 사람들이 언제 들어오고 나갔는지에 대해서도 일일이 기록이 되고 있는데, 이 아이의 출입 기록을 보면 들어온 시간은 있는데 나간 시간이 없었다. 하룻밤에도 여러 번 나갔다 들어오는 게 정상일 텐데 말이다.

기록에 따르면 이 아이의 이름은 정지민으로, 나흘 전에 대한민국에서 들어왔다. 나흘 동안 쭉 꿈을 꾸고 있다는 뜻이다. 그것도 본인의 의지로. *어린아이가 그런 컨트롤이 가능한가?* 하지만 이우스트는 곧 그 생각을 떨쳐냈다. 생각할 시간이 없었다. 이미 너무 많은 시간을 지체하였기 때문에 최대한 빨리 찾아서 내보내는 게 최선이었다.

'저쪽' 사람들이 잠에 들어 이곳으로 넘어오면 꿈의 영역 내에서만 통행이 허용되었다. 센트럴 구역 정중앙에는 하나의 섬처럼 동떨어져 있는 푸른빛의 거대한 돔이 우뚝 솟아 있는데, 그곳이 바로 꿈의 영역이었다. 그 웅장하고 압도적인 크기는 광활한 하늘에 맞닿아 있는 듯한 칙칙을 일으켜 사람들의 경외를 자아낼 정도였다. 그리고 그 돔과 센트럴 구역 사이에는 그 끝을 알 수 없는 아찔한 절벽이 펼쳐져 있었고, 그 사이를 잇는 것은 거대한 돔에 비해 한없이 좁고 허름한 단 하나의 다리였다. 일반적으로 '저쪽' 사람이 본인의 의지로 그 돔을 벗어나지 않는 이상 이 세계 주민들의 거주지역까지 넘어올 일이 없기 때문이었다. 그래서 그 다리는 사람들의 꿈을 관리하는 소수의 직원만 이용했다.

하지만 가끔 이렇게, '저쪽' 사람들의 표현을 빌리자면 '루시드 드리머'들이 돔의 벽을 통과해 다리를 건너오곤 했다. 이곳에서는 단순 '이탈자'로 불리지만 말이다. 그들이 자각을 하기 시작하면 본인 마음대로 움직일 수 있기 때문에 통제가 불가능했고, 이곳 사람들에게는 위협적인 존재였다. 그래서 그들이 돔 밖을 나오는 순간 되돌려 보내는 게 최선이었다. 하지만 이번에는 그 타이밍을 놓쳤다. 10년 만에 발생한 장기 이탈자 사건이었다. 이우스트는 또 한 번 막중한 책임감을 느꼈다.

편두통이 오늘따라 유독 심하다는 생각이 들 때쯤, 때마침 휴대전화가 울렸다.

"네, 요원 이우스트입니다."

"네, 요원님. 기억기록실입니다. 요청하신 건 관련해서 연락드립니다."

이우스트는 이렇게까지 하고 싶지는 않았지만, 프로토콜에 따라 이탈자를 포함한 출입하는 모든 사람의 기억 추적을 요청해 두었다. 이탈자 정보를 확보하고 주변인을 색출하기 위함이었다. 분석 결과만 빠르게 나온다면 이탈자의 다음 행선지에 대한 해답을 찾을 수도 있고, 필요에 따라서는 가공된 기억을 주변 사람에게 주입하여 이탈자를 깨우도록 유도할 수도 있었다. 기억 주입은 많은 양의 행정 처리와 승인이 필요하겠지만 말이다.

이우스트는 이제는 이탈자를 내보낼 수 있을 거라는 부푼 희망을 진정시키고 진척 사항을 물어보았다. 하지만 그가 기대했던 답은 돌아오지 않았다.

"죄송합니다만, 이탈자의 기억들이 너무 흐릿해서 복원작업 하는 데에 시간이 조금 걸릴 것 같습니다. 그리고 최근 몇 개월간 이탈자 정지민에 대한 기억이 있는 사람은 확인되지 않습니다."

이우스트는 목뒤가 뻐근해짐을 느꼈다. 산처럼 쌓이는 업무가 눈앞에 그려져 머리가 지끈거렸다.

이우스트는 몇 개월이 아니라 몇 년까지 조금 더 거슬러 올라갈 수는 없냐고 물었다. 희망만 가득한 질문이라는 걸 알았다. 아니나 다를까, 데이터양이 너무 방대해서 이 사건만을 위해 그 정도의 인력을 투입하기는 어려울 것 같다는 답변을 받았다. 상당히 정중한 말투였지만 확실한 선이 느껴졌다. 그 많은 사람의 기억 속에서 정지민이라는 아이를 찾는 일인데, 아무리 기술이 발달했다고 할지라도 그만큼의 데이터를 확인하기란 어려운 일이었다. 그래서 이우스트는 복원 작업이라도 최대한 빨리 부탁드린다는 말밖에는 할 수 없었다. 우선 완료되는 것들부터 파편적으로나마 공유해주겠다는 위로 아닌 위로를 듣고 전화를 끊었다.

이우스트가 지금 당장 할 수 있는 건 직접 돌아다니는 것뿐이었다. 하지만 CCTV 확인을 요청해둔 관제센터에서도 아직 연락이 없는 터라 제약이 많았다. *여기저기 순간이동을 해대는 사람을 어떤 수로 찾나?* 이우스트는 축축해진 손을 쥐었다 폈다. 표정은 숨겨도 손바닥은 숨길 수 없었다.

우선 이탈자에 대하여 확보해 놓은 CCTV 영상과 베이커리 사장의 증언을 다시 한번 복기해보았다. 오랫동안 자르지 않은 것 같은, 약간은 산발이 된 긴 생머리와 그와 상반되는 갓 꺼내 입은 듯한 쨍한 핑크색의 원피스 잠옷. 사장님은 이탈자를 설명할 때 어린 나이에 비해 의젓한 말투와 눈빛이 특이하다고 했다. 그 이질감 때문일까, 이우스트는 그가 확인한 이탈자의 모습이 전부는 아닐 거라는 생각이 들었다.

이탈자는 어디로 향하고 있는지, 왜 돌아가지 않는 것인지 의문이 들었다. 순간 인생의 터널이 뇌리에 떠올랐지만, 더 이상 오래 끌면 안 되겠다는 생각에 이우스트의 머리가 차가워졌다.

이우스트는 떠오르는 그 남자의 모습을 애써 무시한 뒤 관제센터로 발걸음을 돌렸다. 그곳에 가면 뭐라도 확인할 수 있을 것이라는 막연

하고 무모한 희망을 품은 채로. 장기 이탈자의 수신이 끊기기까지 하루도 남지 않았다. 지난 10년 동안 켜켜이 쌓인 죄책감은 이제 불안함이 되어 이우스트의 어깨를 짓눌렀다.

그때, 황급히 움직이던 이우스트의 발이 멈춰 섰다. 그를 세운 것은 그의 앞으로 순식간에 지나간 어린아이였다. 자다 일어난 것 같은 긴 검은색 머리카락에 쨍한 핑크색 원피스 잠옷을 입은 맨발의 여자아이. 쳐다보는 시선을 느꼈는지 아이는 멈춰 서서 이우스트를 돌아보았다. 많은 것이 담긴 검은색의 오묘한 눈으로 말이다.

이탈자 본인이 직접 잠에서 깨거나 '저쪽' 세상의 자극에 의해 깨지 않는 이상, 요원들이 이탈자를 되돌려 보낼 방법은 총 네 가지였다. 돔으로 향하는 다리를 건너 꿈의 영역으로 복귀하도록 하거나 수면유도총으로 꿈이 없는 단계까지 깊은 잠에 빠트리는 방법도 있었다. 주변인들에게 기억을 주입해 이탈자를 깨우도록 유도하는 방법도 있기는 하지만, 심의 절차가 까다로워 너무 오래 걸리기 때문에 관리탑도, 요원들도 선호하지 않았다. 마지막 방법으로는 수신을 끊는 것이었다. 하지만 이 방법은 5일 이상 꿈의 영역 밖에서 체류하는 장기 이탈자를 처단하기 위한 극단적인 방법으로, 관리탑만이 시행할 수 있었다.

이우스트는 이 중에서 지금 당장 실행 가능성이 높은 방법은 꿈의 영역으로 되돌려 보내는 것이라고 판단했다. 수면유도총을 사용하기에는 아이가 잠에 들어있는 시간이 너무 길어 위험했다. 주변인을 활용하기에는 주변인에 대한 정보도 없을뿐더러 시간도 얼마 남지 않았다. 마지막 방법은 이우스트에게 고려 대상이 아니었다. 이우스트에게는 그 전에 아이를 돌려보내야 한다는 사명감이 있었다.

하지만 돔 앞에 아이를 데려다 놓은 이우스트는 좌절할 수밖에 없었다. 또 사라지려는 아이는 초코빵을 사주겠다고 가까스로 설득했고, 그렇게 손을 잡고 같이 다리를 건널 때만 해도 후련함과 뿌듯함이 있었다. 하지만 모두 찰나의 감정일 뿐이었다. 원래대로라면 이탈자들은 아무런 문제 없이 푸른빛이 일렁이는 벽을 통과하여 꿈의 영역으로 돌아갈 수 있어야 했다. 하지만 이 아이의 손은 일반적인 벽을 밀어내는 듯했고, 두 발은 우두커니 그 자리를 벗어나지 못했다. 몇 번이고 돔으로 아이를 밀어 넣으려고 시도해 보아도 결과는 같았다. 그 옆에는 이우스트의 연락을 받고 동행하던 안내원이 당황스러운 눈빛으로 서있었다.

"요원님 혹시 이 아이…. 기억을 잃었을까요?"

"기억을 잃다뇨?"

"꿈의 영역에 들어갈 수 있는 사람은 '저쪽' 세상에 대한 기억이 있는 사람뿐입니다."

이우스트는 당황스러운 눈빛으로 아이를 내려다보았다. 곧이어 이우스트가 내던진 질문 세례에도 아이는 단 한 가지도 제대로 답을 하지 못했다. 아이는 이곳에 대한 자각도, 기억도 없었다. 본인이 꿈의 영역을 자발적으로 나왔다는 사실조차도 망각한 듯했다. 기억기록실 직원이 왜 기억 복원이 필요하다고 했는지 이해가 되는 순간이었다.

소수의 관리직을 제외하면 이 세계 사람들은 돔 안으로 진입할 수 없도록 설계되어 있다고 한다. 기억을 잃어버린 이 아이는 모두에게 이방인이 되어버린 셈이었다. 이우스트는 이런 비효율적인 시스템에 욕이 나올 지경이었다.

안내원은 수면유도총을 제안했다. 아이를 죽도록 내버려둘 수는 없지 않냐며, 그것 말고는 답이 없다고 말이다. 이우스트는 허리춤에 있는 수면유도총을 잠시 만지작거렸다. 그 손끝에는 망설임이 서려 있었다. 이곳에서 내보낼 수는 있어도 아이가 영영 못 깨어날 수도 있었다.

이우스트는 고개를 저었다. 수신이 끊기든 영영 잠에 빠지든 결과는 같았다. *그 전에 기억만 되찾으면 될 것이 아닌가?* 이우스트는 안내원에게 애원했다. 마지막 순간까지 돔을 못 들어간다면 그땐 수면유도총을 쓸 테니, 그때까지 아무 말 말아 달라고. 안내원은 그 절박한 눈빛에 부탁을 받아들일 수밖에 없었다.

이우스트는 시계를 보았다. 해가 지는 순간 이 아이의 시간은 끝난다. 수신이 끊기기까지 약 반나절이 남았다. 그 시간 안에 기억을 찾아야 하는데, 그 과정에서 다른 요원을 마주치면 분명 수면유도총을 쓸 것이었다. 이우스트는 머리가 또 한 번 지끈거림을 느꼈다.

"넌 어디 가려던 참이었니?"

이우스트는 꽉 막혀 돌아가지 않는 머리를 애써 굴려보았다. 지금은 아이가 가려던 대로 그대로 따라가는 게 최선이었다. 이우스트는 아이 눈높이에 맞춰 고개를 숙여 아이의 눈을 바라보았다. 그리고 이 상황을 최대한 쉽게 설명하기 위해 애썼다. 여기는 조금 있으면 문을 닫을 예정이니, 그 전에 돌아가야 한다고 말이다.

지민은 불만족스러운 눈빛으로 이우스트를 바라보았다. 난데없이 나타나 초코빵을 사주겠다고 해서 가만히 있었더니, 이제는 집에 돌아가야 한다며 보채는 마당에 그냥 다른 곳으로 이동해버릴까 생각도 들었다. 언제든 벗어날 수 있었으니 말이다. 하지만 초코빵을 가득 사주겠다는 이우스트의 약속은 상낭히 구미가 당겼다. 마침 배가 고팠던 터라 이전에 베이커리에서 얻어먹었던 초코빵의 맛이 그녀의 발을 붙잡았다. 그래서 어디로 향하는 길이었냐는 이우스트의 질문에 순순히 답해주기로 마음을 먹었다.

그녀는 피아노 소리를 따라간다고 답하였다. 순간이동이 가능하다는 것은 알았지만 어디로 떨어질지는 미지수였기 때문에 나름 음악 소리를 따라 걸어가 볼 생각이었다. 그때 마침 이우스트를 만나게 된 것이고 말이다. 왜 그 소리에 이끌렸는지는 본인조차 설명할 수 없었다.

피아노는 이 세계에는 없는 악기였다. 하지만 이우스트는 요즘 '저쪽' 세계 악기들이 유행한다는 것을 알았다. 꿈의 영역을 관리하는 직원들이나 기억기록실 직원들을 통해 전파된 유행이었다. 이렇게 종종 '저쪽' 세계의 문물이 흘러들어올 때가 있었다. 이우스트는 바로 소리의 마을인 '오디우라'를 떠올렸다. 아이의 발은 그곳을 향했으리라. 이우스트는 지민의 손을 잡고 저 멀리 희미하게 들려오는 음악 소리를 따라 '오디우라'로 발걸음을 돌렸다. 되돌아갈 때의 다리가 이전보다 더 좁고 아슬아슬해 보였다.

이곳은 총 여섯 개의 구역으로 구분되어 있다. 미각의 마을 '사포르니,' 시각의 마을 '비지오네,' 촉각의 마을 '택투스라,' 후각의 마을 '오도리스,' 청각의 마을 '오디우라,' 그리고 다섯 개의 마을을 총괄하는 센트럴이 있다. 센트럴에는 꿈의 영역과 더불어 관리탑, 관제센터, 기억기록실 등의 정부기관이 자리하고 있으며, '저쪽' 세계와 저승을 연결하는 인생의 터널도 위치해 있다. 여섯 개의 구역은 한 길로 연결되어 있어서 도보나 자동차로도 이동할 수 있지만 주민들은 센트럴을 시작으로 전 구역에 정차하는 기차를 애용하곤 한다.

내부순환과 외부순환 기차가 15분 간격으로 왔기 때문에 이우스트는 기차를 타는 것이 시간을 절약하는 방법이라고 판단했다. 하지만 주민들과 요원들의 눈에 띄지 않는 것이 관건이었다. 이우스트는 온몸을 뒤덮을 만큼 큰 빨간색 망토를 두른 지민을 불안한 눈빛으로 내려다보았다. 빨간색 선글라스도 지민의 얼굴 절반을 가리고 있었다. 핑크색 잠옷과 검은 눈동자를 가리고자 센트럴 시장에 들러 급하게 산 것들이었다. 하필이면 이 망토밖에 남아있지 않아 눈에 띄지 않겠다는 초기 목적을 달성하기는 조금 어려워졌지만 말이다.

"비지오네 축제 가시나 봐요?"

이우스트는 창구 너머에서 아이를 흘겨보는 고양이 역무원의 말에 멋쩍게 웃었다. 다행히 시각의 마을 '비지오네'에서 한창 레인보우 축제를 하고 있던 터라 큰 의심을 사지 않은 듯했다. 이우스트는 중간에 '오디우라'도 들러야 한다며 올라운드 티켓 두 장을 요구했다. 심드렁한 표정의 고양이는 털이 복슬복슬한 조그마한 앞발로 표 두 장을 밀어주고는 꼬리를 탁탁 쳤다. *곧 낮잠 타임인가 보다*, 이우스트는 생각했다.

기차 안은 생각보다 더 북적북적했다. 하지만 다행히도 곳곳에 보이는 '비지오네' 축제 방문객들의 휘황찬란한 복장 덕분에 지민의 새빨간 망토는 아무런 문제 없이 무리에 녹아들었다. 그럼에도 이우스트는 귀에서 심장소리가 들리는 것 같았다. 옆에서 별생각 없이 사탕을 먹고 있는 지민이 얄미울 지경이었다.

"아저씨도 드려요?"

지민은 자신을 빤히 쳐다보는 이우스트에게 옷 가게 사장한테 받은 사탕 하나를 건넸다. 도넛맛 사탕이었다. 이우스트는 한숨을 쉬고는 사탕을 받아 입안에서 굴리며 쿵쾅대는 심장을 진정시켰다. 빵의 고소함과 연유의 달달함이 섞인 맛이었다. '오디우라'에 도착했다는 안내방송이 나올 때까지 둘은 어색한 침묵 속에서 입안에 달달함을 머금으며 오물거릴 뿐이었다.

역전에는 각종 소리를 병에 담아 파는 가게, 자연의 소리 레코드 가게, 동물의 울음소리를 연주하는 악기 판매 매장, 머릿속 소리 포착 스튜디오 등 다양한 가게들이 즐비해 있었고, '저쪽' 세계의 소리 판매 매장도 곳곳에서 찾아볼 수 있었다. '오디우라'는 센트럴을 제외한 다섯 개의 구역 중에서 제일 시끄러우면서도 활기차서 이우스트가 머릿속을 비우고 싶을 때 가끔 들르는 구역이었다. 하지만 오늘은 목표가 따로 있었다.

이우스트는 망토가 덥다며 궁시렁거리는 지민의 손을 잡고 '이색소리 거리' 간판이 걸려있는 골목으로 조심스럽게 다가갔다. 가게가 많지는 않은 골목이었기에 맨 구석에 있는 악기 매장도 손쉽게 찾을 수 있었다. 매장 창문 너머에는 각종 악기가 즐비해 있었고, 그 안쪽에는 낡은 피아노 한 대가 굳건히 존재감을 드러내고 있나었다. 선글라스 너머 지민의 눈빛이 반짝였다.

노쇠한 매장 주인은 문이 열리는 짤랑 소리에 주름이 펴질 듯 환하게 웃으며 손님을 반겼다. 그리고 이우스트의 요청에 흔쾌히 피아노를 보여주었다. 군데군데 빛이 바래 최근에 들여왔다고는 믿을 수 없는 허름한 피아노였다. 하지만 그 우아한 자태만큼은 흐르는 시간도 함부로 건들 수 없는 듯했다. 이우스트는 피아노 건반에 살포시 손가락을 올려놓는 지민을 희망차게 바라보았다. 청아한 건반 소리가 호수에 물방울 떨어지듯 매장 안에 울려 퍼졌다. 우스꽝스러운 선글라스에 가려져 표정을 볼 수는 없었겠지만, 지민은 분명 무엇인가 느끼고 생각하고 있었다. 그리고 누가 말릴세라 홀린 듯이 두 손을 건반 위에 올려 연주를 하기 시작했다.

오랫동안 연습을 하지 않은 사람의 투박한 연주였다. 그리고 곡 자체도 간단하고 반복적이었기에 이우스트가 예상했던 큰 반전은 없었다. 하지만 정작 건반을 치는 지민은 치는 내내 머리가 복잡해지는 느낌이 들었다. 미처 비집고 나오지 못하는 울분 같기도, 머리가 터질 듯한 분노 같기도 했다. 단조로운 노래였지만 건반을 누르는 손가락 하나하나에는 이유 모를 감정이 실려있어 이 노래를 처음 듣는 이우스트도 답답함과 무거움을 느꼈다. 마치 공기가 내려앉는 것 같았다.

"에델바이스네요."

이우스트는 고개를 돌려 매장 주인을 바라보았다. 백발의 노인이 당황한 이우스트를 보며 미소를 지었다. 이우스트가 입을 열려는 찰나, 지민이 마지막 건반을 누르고 자리에서 일어났다. 손가락 끝에 남아있는 익숙하시만 낯선 멜로디를 더 이상 견딜 수 없다는 듯이. 지민은 떠오르지 않는 기억의 무거운 잔재를 떨쳐내고 싶은 것인지, 붙들고 싶은 것인지 모르겠기에 우선 매장 문을 박차고 나섰다.

지민의 돌발행동에 당황한 이우스트는 매장 주인에게 죄송하다는 말을 남기며 지민을 따라나섰다. 지민은 매장 앞에 쪼그리고 앉아 바닥을 바라보고 있었다. 망토의 끝자락이 땅에 끌렸고, 땅바닥에 넓게 퍼진 망토는 아이의 몸을 더 작아 보이게 만들었다.

이우스트는 기억을 되찾은 것인지 조심스레 물었다. 하지만 지민은 조용히 고개만 저을 뿐이었다. 이우스트는 내심 느껴지는 아쉬움과 안타까운 마음에 말없이 주머니에 손을 넣고 아이를 기다려줄 수밖에 없었다. 긍정적인 기억은 아니었으리라 짐작만 할 뿐이다.

이우스트의 불안함이 표정에 드러나지는 않을 만큼의 길지 않은 시간이 흐르고, 기억기록실로부터 연락이 왔다. 이탈자 기억의 일부를 복구했다는 희망찬 소식이었다. 그나마 뚜렷한 것부터 복원을 해봤는데, 교복을 입은 남학생이 피아노를 치고 있는 모습이라고 하였다. 이우스트는 순간 눈앞에 불빛이 켜지는 듯했다. 혹시 그 남자애는 어디에 있는지 물었지만, 직원은 아직 그 정도까지 복원은 안 됐다며 시간이 더욱 필요하다고 말했다. 하지만 아직 흐릿하더라도 빵 같은 것을 먹는 모습과 이불을 펼쳐 든 모습도 어렴풋이 확인된다고 덧붙였다. 이우스트는 추가로 확인되는 대로 연락 달라는 말을 전하고 황급히 전화를 끊었다. 지민이 이우스트를 올려다보고 있었다.

"기억 찾으러 가자." 이우스트는 지민을 일으켜 세웠다. 지민은 이곳에 들어온 이후 처음으로 기억을 되찾을 필요가 있다는 생각이 들었다. 그래서 둘은 촉감의 마을인 '택투스라'행 기차를 타기 위해 급히 발걸음을 돌렸다.

기차를 탄 둘은 이번에도 조용히 이동했다. 이우스트는 이동하는 기차 안에서 창문 밖을 내다보았고, 빠르게 스쳐지나가는 나무들이 보였다. 그 나무들은 돌돌 말려있는 이우스트의 기억의 끝을 잡고 걷잡을 수 없게 풀어헤치기 시작했다. *제이든이었나, 그 남자 이름이.* 이우스트는 또렷하게 기억하면서 그마저 부정하려는 자신이 웃겨 픽 하고 웃음이 나왔다. 제이든 또한 장기 이탈자였다. 이우스트는 그냥 할 일을 할 뿐이었다. 이탈자를 다시 되돌려보내는 일. 그게 그렇게 잘못된 걸까?

그 남자에게는 그랬을 것이다. 당시에도 나름 베테랑이라는 소리를 들었던 이우스트는 왜 본인이 그때 그런 선택을 했는지는 잘 이해할 수 없었다. 어떻게든 쓸모 있는 사람이 되고 싶어서 그랬던 걸까? 이우스트는 하염없이 되새김해 보았지만, 그때마다 답은 없었다.

어느새 제이든이 장기 이탈자가 된 지도 며칠이 흘렀을 무렵, 그는 능숙하게 요원들을 따돌리고 있었다. 목표를 달성하지 않으면 잡히지도 않겠다는 듯, 제이든은 최선을 다해 요원들을 피해 다녔다. 모두가 흩어져 그를 찾아 나선 어느 날, 이우스트가 홀로 그를 발견할 때까지 말이다.

제이든은 이우스트 정도는 제압하고 도망칠 수 있지 않을까 라는 눈빛으로 그를 쳐다보았다. 제이는 상당히 덩지가 큰 건장한 30대 남자였고, 이우스트는 그 당시 조금 더 왜소한 체격이었다. 이우스트는 지쳐있던 터라 그를 제압하는 선택지는 바로 내려놓았다. 제이든 또한 그가 수면유도총을 내려놓는 모습을 보고는 바로 그 자리에 털썩 주저앉았다.

"인제 그만 좀 합시다. 나 좀 쉬게 내버려둬요."

"그럴 수 없다는 거 알잖아요."

제이든은 호탕하게 웃었다. 그는 빠르게 수긍했다. 자신이 이곳에는 침입자가 아니겠냐며 말이다. 그렇게 잘 아는 사람이 우리를 이리 힘들게 하냐며 이우스트가 맞장구를 쳤고, 그렇게 둘은 수다를 떨기 시작했다.

이우스트는 제이든에게 왜 여기에 들어와 있는지 물었다. 쉴 틈 없이 농담을 던지던 제이든이 잠깐 침묵하더니 죽은 아내의 꿈을 꾸기 위해 들어왔다고 했다. 아내가 떠난 뒤 단 한 번도 꿈에 나오지 않아 그 그리운 얼굴을 한 번이라도 더 보기 위해서 들어온 것이었다. 이우스트는 고민했다. 사실을 말해주고 제이든을 구해줄 것인지, 아니면 제이든의 희망을 지켜줄 것인지. 이우스트는 아직도 전자를 선택한 것을 후회한다.

꿈이라는 것은 '저쪽' 사람들을 돔 내에 붙잡아두기 위한 일종의 장치였다. 그들의 기억을 스캔해서 그 기억을 토대로 꿈을 만들어 보여주면 그들은 꿈 속을 헤매다 돌아가곤 했다. 그 꿈의 영역을 벗어나 이곳으로 넘어오는 이탈자들은 그 이상의 무언가를 찾을 수 있다고 믿지만, 죽은 사람들을 다시 만난다거나 하는 희망찬 일들은 일어나지 않는다. 그래서 이우스트는 제이든에게 빨리 돌아가야 한다고 설명했다. 어차피 그가 찾는 아내는 여기 없으니, 본인이라도 살아야 하지 않겠느냐고 말이다.

"죽은 자들을 만날 수 있는 곳이 있다던데…."

"이승과 저승을 잇는 터널이 있기는 하지만, 그건 정말 말 그대로 저승을 향하는 터널일 뿐이에요."

심지어 그 터널은 꿈의 영역 근처에 있어 제이든이 이렇게 멀리까지 올 필요조차 없었다. 이우스트는 제이든에게 터널에 관해 설명해주었다. 사람들이 매일 밤 잠에 들면 모든 기억과 감정을 안고 이쪽 세계로 넘어오고, 잠에서 깨면 그대로 돌아가게 된다. 하지만 한 사람이 세상을 떠나면 그의 기억들은 책이 되어 '기억의 도서관'에 보관된다. 이 기억의 도서관은 '저쪽' 세계와 저승을 이어주는 투명한 터널을 감싸고 있어, 그 안을 걷는 이들은 마치 거대한 도서관을 관통하는 듯한 느낌을 받는다고 한다.

이우스트는 직접 그 터널을 걸어본 적은 없지만, 전해 들은 바에 의하면 그곳을 걸어가는 망자들은 자신의 기억을 추억하며 선조들의 기억도 엿볼 수 있다고 했다. 반대로 이쪽 사람들이 기억의 도서관에 들어가면 투명한 터널을 지나가는 망자들을 볼 수 있었다. 물론, 세상을 떠난 지 얼마 되지 않은 사람들에 한해서 가능한 일이지만 말이다.

그 말을 들은 제이든은 조용해졌다. 무슨 생각을 하는지 알 길이 없었지만, 이후부터는 얌전히 돔까지 이우스트를 따라왔으니 나름 성공한 전략이었다고 생각했다. 무사히 돌아간 제이든이 며칠 뒤 터널을 지나가는 모습을 발견하기 전까지는 말이다.

그날 이우스트는 제이든이 터널을 지나고 있다는 소식을 듣자마자 서둘러 도서관으로 향했다. 수많은 망자 사이에서 차분히 걸어가며 미소를 짓는 제이든을 발견했을 때, 이우스트는 마치 모든 감각과 생각이 몸 밖으로 빠져나가는 듯한 기분을 느꼈다. 두 사람의 눈이 마주쳤지만, 제이든은 오묘한 미소를 지은 채 눈을 돌려 이우스트 너머의 도서관을 오랫동안 바라보았다. 그 순간 이우스트는 깨달았다. 자신이 제이든을 그렇게 돌려보내서는 안 됐다는 사실을. 제이든의 그 미련이 남아 있는 눈빛은 이우스트의 감정이 투영된 것일까, 아니면 제이든의 것이었을까? 이 질문에 대한 답은 이우스트가 알 수 없었다.

이우스트와 지민은 '택투스라'에 도착하여 서둘러 기차에서 내렸다. 지민은 탄력이 느껴지는 바닥에 정신이 팔려 방방 뛰기 시작했지만, 곧이어 당황한 이우스트의 손에 이끌려 기차역을 빠져나왔다. 이곳에서는 지민의 새빨간 망토가 상당히 눈에 띄었다. 색상보다는 촉감이 중요하게 여겨지는 곳이다 보니 전반적인 마을의 분위기는 모노톤에 가까웠기 때문이었다. 덕분에 이우스트의 손은 또 한 번 홍건해졌고, 지민은 그런 손을 잡기 싫다며 약간의 실랑이가 있었다.

결국 손은 잡지 않는 것으로 합의하고 티격태격하며 시장을 돌아다니던 둘은 이우스트의 이름을 부르는 익숙한 목소리에 멈춰 섰다. 이우스트의 동료였다.

"이우스트! 여긴 무슨 일이야?"

이우스트는 최대한 포커페이스를 유지하며 동료를 반겼지만, 실은 대답을 생각해 내느라 머리가 터질 지경이었다. 모르는 사람들에게는 조카를 축제에 데리고 가는 거라고 핑계를 댈 수 있었다. 하지만 요원으로서 생각해 보면, 시간을 다퉈 어린 여자아이를 찾아야 하는 상황에서 어린 여자 조카를 축제에 데리고 간다는 핑계가 합당한 것인지 판단이 서질 않았다. 심지어 눈을 가리는 선글라스를 씌운 상태였다. 이 상황을 예상하지 못했던 것은 아니었지만 실제로 동료를 맞닥뜨리니 당황스러운 건 어쩔 수 없었다. 그나마 다행인 건 오늘 휴가를 쓴 동료였다는 것이다.

"아 조카가⋯."

이우스트는 말끝을 흐리며 지민을 내려다보았다. 정확히는 지민이 있어야 할 곳을 내려다본 것이었다. 아이가 사라졌다. 이우스트는 순간의 당황을 감추지 못하고 세게 콧김을 불었다.

"조카가?"

"아 조카가 이탈자를 여기에서 본 것 같다고 해서 말이야. 다 둘러보다가 안 보여서 나가려던 참이었어."

동료는 안타까운 눈빛을 날리고 이우스트의 어깨를 두 번 쳤다. 옆에는 동료의 아내가 관할 지역이니 도와줘야 하는 거 아니냐고 속닥거렸지만, 그는 고개를 젓고 이우스트에게 잘 찾길 바란다며 인사를 하고 떠나갔다. 평소라면 괘씸하다고 생각했을지 모르겠지만, 오늘따라 그 무관심이 상당히 고마웠다. 이우스트는 떠나가는 동료의 허리춤에 걸려있는 수면유도총을 보며 바지에 손바닥을 닦았다.

이우스트는 곧이어 빨간 망토를 찾기 위해 주변을 둘러보았다. 그러던 중 인형가게 아주머니와 눈이 마주쳤고, 그녀는 다 알고 있다는 듯 엄지손가락으로 바로 옆의 이불가게를 가리켰다. 이불가게 진열대에는 벨벳, 비단, 코튼 등 다양한 소재의 흰색 이불들이 고이 개어 있었다. 진열대 너머 창문을 들여다보니 새하얀 이불들 사이로 빨간색 천이 보였다. 이우스트는 인형가게 아주머니에게 고개를 끄덕이고 놀란 가슴을 쓸어내리며 이불가게 안으로 들어갔다. 한편으로는 눈치 빠른 아이의 순발력에 경이로움까지 느껴졌다.

가게에 들어가 보니 각종 두께와 질감의 이불들이 천장부터 바닥까지 늘어져 있었다. 지민은 그중에서도 가장 구름 같이 폭신한 이불을 끌어안고 있었다. 이 이불이구나. 이우스트는 기억 기록실 직원의 말을 떠올렸다. 이우스트는 난감해하는 사장님의 얼굴을 보고 이불을 꽉 끌어안은 지민의 팔을 풀려고 했지만, 지민은 이불에 얼굴을 파묻으며 팔을 오히려 더 세게 조였다.

"알았으니까 이거 그만 놔줘."

지민은 이불의 포근함이 너무 서글퍼서 팔을 풀 수가 없었다. 이우스트가 설명해 준 이불을 펼쳐든 남학생의 모습이 처음에는 멀게만 느껴졌지만, 이제는 그 장면의 일부가 된 것처럼 지민의 기억으로 스며들었다. 그 남학생의 정체와 얼굴은 여전히 모호하고 희미했다. 하지만 남학생이 펼쳐 든 이불이 본인의 몸에 포개지는 그 부드러운 촉감, 이불과 함께 공중으로 들어 올려지는 그 재미있는 긴장감이 생생하게 전신을 감쌌다. 이 촉감을 잃고 싶지 않은 지민은 계속해서 이불을 꽉 끌어안았다.

그 순간 이우스트의 휴대전화가 또 한 번 울렸다. 기억기록실이었다. 이우스트는 사장님에게 미안하다는 눈빛을 보내고 연락을 받았다. 한참을 듣던 이우스트는 지민을 말없이 쳐다보았다. 이 아이의 기억을 되찾아줄 곳은 한군데밖에 없었다. 남학생의 기억이 보관되어 있을 기억의 도서관이었다.

이우스트는 결국 이불을 구매한 후에야 지민을 데리고 '택투스라'를 벗어날 수 있었다. 이우스트는 시계를 내려다보았다. 이제 세 시간 정도밖에 남지 않았다. 1분 1초가 아까워 초조한 이우스트와 달리 지민은 돌돌 말아놓은 이불을 끌어안으며 만족해하고 있었다. 기차를 타고 센트럴로 돌아가는 동안 한시도 이불을 놓지 않았다. 이우스트는 그렇게 행복해하는 지민을 바라보며 마지막 목적지에 대해서 어떻게 설명할지 고민에 빠졌다. 아직 지민은 그 남학생이 누구인지도 모르는 상황에서 도서관에 데려가는 게 옳은 선택인지 확신이 서지 않았다. 하지만 이 방법밖에는 없었다.

결국 어디 가냐는 지민의 질문에 제대로 된 답을 하지 못한 채 도서관 입구에 도착했다. 도서관은 누구에게나 열려 있지만, 가벼운 마음으로 들어갈 수 있는 곳이 아니었다. *하지만 그때 이 문을 열었더라면, 상황이 조금은 달라졌을까?* 이우스트는 발이 떨어지지 않는 듯 힘겹게 움직여, 굳게 닫힌 문을 열었다

도서관은 걸보기엔 돔 옆이 작은 건물에 불과했다. 하시만 실제 내부로 들어서면 그 끝을 알 수 없는 기나긴 터널이 양옆으로 광활하게 펼쳐져 있었다. 중앙의 커다란 유리 터널을 감싸고 있는 구조였다. 유리 터널의 곡선을 따라 동그랗게 말린 천장까지 책들이 빼곡하게 들어서 있었고, 책이 꽉 찬 책장들이 터널을 따라 옆으로 즐비해 있었다. 투명한 유리 터널 안쪽에는 수많은 사람이 지나온 삶을 되돌아보며 천천히 걸어 지나가고 있었다. 이우스트는 10년 만에 본 도서관의 모습에 잠시 숨이 멎는 듯한 느낌을 받았다. 다시는 오고 싶지 않던 곳이다. 지민 또한 처음 보는 광경에 어안이 벙벙한 듯 말없이 도서관 내부를 둘러보았다.

"무엇을 찾으실까요?"

중년의 남자 사서가 이우스트에게 다가와 물었다. 그는 도서관에 어울리지 않는 옷차림을 한 지민을 힐끔 쳐다보았지만, 아무 말도 하지 않았다.

"정재민이라는 남학생의 기록을 찾고 있습니다."

지민은 이우스트를 올려다보았다. 많은 질문이 담긴 눈빛이었다. 사서는 더 이상의 정보는 필요하지 않다는 듯 잠시 사라졌다가 얇은

책 한 권을 들고 돌아왔다. 말없이 책을 건네받은 이우스트는 그 책을 그대로 지민에게 건네주었다. 지민은 이불을 바닥에 내려놓고 불안한 눈빛으로 책을 펼쳐 보았다. 글이 너무나도 쉽게 읽혔다.

남학생이 교통사고로 일찍 세상을 떠나기 전까지의 기억들이 기록되어 있었다. 가장 많이 언급된 것은 늦둥이 여동생과 보낸 시간과 그 추억들. 생의 마지막 순간까지 동생 지민의 이름을 부르며 걱정하던 아이였다. 여동생이 오빠의 존재는 잊고 이별의 아픔 없이 엄마 아빠와 행복하게 살았으면 하는 마지막 소망을 끝으로 얇디얇은 책은 끝이 났다. 고등학생의 순수하고도 순진한 소망이었다.

지민은 그렇게 밀려들어오는 기억과 그동안 잊고 살던 자신을 모두 원망했다. 하염없이 흐르는 눈물은 앳된 어린아이의 것이 아니었다. 20년이 넘는 세월의 그리움이 드디어 그 대상을 찾았다. 지민은 이불과 책을 처절하게 끌어안았다. 이우스트는 파르르 떨리는 작은 어깨를 다독여주는 것밖에는 할 수 없었다. 이 다음 선택은 모두 지민의 것이었다. 제이든의 선택도 본인 것이었겠지만, 이우스트는 그때보다 하나의 선택지를 더 만들어줄 수 있었다는 사실에 감사해하기로 했다.

지민은 재민의 기억 하나하나를 모두 자신의 것으로 만들겠다는 듯, 오랫동안 그 자리에 머물러 책을 들여다보았다. 하지만 마지막 문장이 계속 눈에 밟혔다. "엄마 아빠와 행복하게 살았으면." 29살 지민은 자취방에서 혼자 살고 있었고, 부모님과 연락을 안 한 지 오래되었다. 지금 이곳에서 허우적대고 있는 것도 아마 모를 것이다. 그들이 무너져 내린 뒤, 그녀의 삶이 오랫동안 힘들었다는 사실도, 그들만큼이나 오빠를 그리워하고 있었다는 사실도. 지민은 가장 행복하던 시절로 돌아가고 싶었을 뿐이었다. 집 밖에서 오빠가 사준 잠옷을 입겠다고 고집을 부려서 엄마한테 혼나던 게 인생의 가장 큰 서러움이자 어려움이었던 시절 말이다.

지민은 오랫동안 눈을 감았다가 떴다. 그리고 차분히 기다리고 있는 이우스트를 향해 고개를 돌렸다.

"저 이제 돌아가야 할 것 같아요."

이우스트는 기다렸다는 듯이 말했다.

"그럼 뛰어야 할 거야."

지민과 이우스트는 도서관을 나서서 돔을 향해 달렸다. 이제 수신이 끊기기까지 10분밖에 남지 않았다. 하늘은 이미 반쯤 어둑어둑 해지고 있었고, 돔의 푸른빛에는 석양이 내려앉아 은은한 보랏빛이 일렁였다. 바로 근처이기는 했지만, 지민의 몸이 아직 어린아이인 탓에 빨리 달릴 수 없었다. 그래서 이우스트는 지민을 업고 뛰기 시작했다. 숨이 턱 끝까지 차오르는 것 같았지만 개의치 않았다. 이번에는 살릴 것이다. 지민의 작은 손도 이우스트의 옷깃을 부여잡느라 새하얘졌다. 돔을 지키는 직원도 그 절박함을 읽었는지 그들을 막지 않았다.

5분. 3분. 2분. 시간이 흐를수록 이우스트의 심장이 터질 듯이 더 빠르게 쿵쾅거렸다. 꿈의 영역까지 이어진 다리를 뛰어가는 내내 아찔한 절벽 밑으로 떨어지는 상상이 그의 머릿속을 헤집었다. 혹여 흥건해진 손바닥 때문에 아이를 놓칠까 싶어 두 종아리를 잡고 있는 손에 힘이 들어갔다. 앞으로 박차고 나갈 때마다 출렁이는 다리가 공포스러웠다. 하지만 멈출 수는 없었다.

푸른 빛의 벽 앞에 다다랐을 때, 지민은 이우스트에게 속삭였다. 그냥 고맙다는 한마디였다. 하지만 그 한마디는 드디어 푸른빛의 벽 너머로 지민을 밀어 넣을 때, 선글라스가 벗겨진 지민의 눈이 마지막으로 그를 뒤돌아봤을 때, 별 탈 없이 매끄럽게 통과하는 지민을 보며 안도했을 때, 바닥에 드러누워 숨을 고를 때, 그리고 평범한 일상으로 돌아온 그 이후까지 오랫동안 이우스트와 남아 있었다.

마치 꿈 같은 하루였다.

2번째 단편: 꿈의 흔적

"비지오네 축제 가시나 봐요?"

벨루스가 새빨간 망토를 두르고 있는 꼬마를 힐끔 쳐다보며 말했다. 얼굴의 절반을 가리는 빨간색 선글라스까지, 맞지도 않은 옷을 입었다고 생각했다. 그 옆에 서있던 남자가 멋쩍게 웃으며 그렇다고 대답했다. 벨루스는 꼬마가 이곳 사람이 아님을 직감으로 알았다. 이미 경험해 본 적 있는 이질감이었다. 둘의 수상쩍은 모습에 경비라도 부를까 싶었지만, 그거 또 나름대로 피곤하고 귀찮아질 것을 알기에 그냥 기차 티켓만 발권해서 건넸다. 이거 하나 때문에 낮잠 시간이 미뤄지면 그거 또 나름대로 고역일 테니 말이다.

벨루스는 빨리 교대 시간이 되길 기다리고 있었다. 하필이면 이번에는 오전 근무여서 졸음을 참기가 상당히 어려웠다. 기차 역무원이 된 지 꽤 오랜 시간이 흘렀고, 그 당시 그 아이의 말대로 워라밸을 중요시하는 벨루스에게는 안성맞춤의 직업이었지만, 그럼에도 일은 하기가 싫은 것이었다. 벨루스의 복슬복슬한 꼬리를 의자에 탁탁 내려치는 소리가 티켓 창구 안에서 낮게 울렸다. 동료 역무원들은 그 귀여운 소리의 의미를 알기에 살며시 미소 지었다. 고양이들은 처음에는 잘 모르지만 가만 보면 감정을 표현하는 게 상당히 투명하니까 말이다.

벨루스는 잠시 빨간 망토를 두른 여자아이를 떠올리며 옛 기억을 소환했다. 10년 전에 만난 그 아이도 비슷한 또래의 여자아이였다. 열 살 정도 되었던 것 같다. 지금 익숙한 냄새가 나는 저 여자가 열 살 정도 어렸다면 딱 그 얼굴이었을 것이다. 어? 찰나의 생각이 벨루스의 작은 머리를 스쳤고, 곧 깨달음이 되었다.

벨루스는 당황스러운 마음에 눈을 질끈 감았다가 다시 떠보았다. 여자가 선글라스를 쓰고 있어 눈이 보이지는 않았지만 분명 그 냄새였고, 얼굴형, 코, 입술, 귀의 모양도 모두 비슷했다. 오랫동안 벨루스가 그리워했던 그 여자아이임이 틀림없었다. 10년 전에 만난 '저쪽' 세계 친구, 수진이었다.

주체할 수 없는 반가움에 벨루스의 꼬리가 하늘을 향해 치켜세워졌고 저절로 꼬리의 끝이 안쪽으로 말렸다. 그렇게 여자를 향해 소리를 지르려던 찰나, 여자가 벨루스를 향해 고개를 돌렸다. 그리고 벨루스가 말을 꺼내기도 전에 반갑게 웃으며 창구로 다가왔다.

"안녕하세요! 초면에 실례지만 저 고양이를 한 마리 찾고 있는데 혹시 좀 도와주실 수 있을까요?"

벨루스의 꼬리가 힘없이 내려갔다. 초면이라는 단어가 묵직하게 벨루스의 가슴을 때렸다.

"초면?"

"아, 처음 뵙는데 이런 말씀드리기 좀 죄송하지만, 같은 고양이끼리 통하는 게 있을 것 같아서요."

초면의 의미조차 모른다고 오해를 산 것보다 수진이 자신을 잊었다는 사실이 더욱 신경 쓰였다. 장난치는 건가 생각이 들었다. 이 당황한 모습을 조금 더 보여주면 이제 곧 농담이라며, 잘 지냈냐고, 보고 싶었다고 웃어줄 거라고 생각했다. 벨루스는 어색하게 웃있다. 하시만 수진은 말 없는 벨루스에게 그 이상의 친근함을 보여주지 않았다.

10년 전 만난 수진은 자신을 '루시드 드리머'라고 소개했다. 책에서 읽었는데 자신도 될 줄 몰랐다며 호들갑을 떨던 수진의 모습이 아직 뇌리에 남아있었다. 수진은 '저쪽' 세계로 되돌려 보내려는 요원들의 눈을 피해 고양이 거주지까지 오게 되었고, 서열 싸움에서 져서 구석에 웅크리고 있던 벨루스를 발견하게 되었다.

서열 싸움에서 진다는 것은 생계가 막힌다는 의미이기도 했다. 반려인만 잘 찾으면 평생 편하게 사는 고양이들도 많았지만, 독립심 강한 고양이들은 취업시장에 뛰어들었다. 대체로 고양이들은 미각의 마을 '사포르니'에서 보조 제빵사로 일하거나, 청각의 마을인 '오디우라' 혹은 후각의 마을 '오도리스'에서 사람들의 물건을 찾아주는 일을 종종 맡았다. 그러나 지역도 한정적이고 다른 대체 가능한 동물도 많다 보니 텃세가 심해서 서열 싸움에서 우위를 확보하는 게 중요했다. 이제 막 취업 준비를 시작한 벨루스는 경험도 부족하고 선천적으로 왼쪽 눈이 안 보이는 터라 번번이 서열 싸움에서 지고 있었다. 그런 벨루스에게 수진은 새로운 가능성을 열어주었다.

"오히려 한쪽 눈으로만 도전하는 게 대단한 거 아니야?"

지난 10년의 시작을 알린 한마디였다. 함께 '비지오네' 축제에서 놀던 와중에 수진이 흔적도 없이 사라져 버려 대부분의 시간은 그리움 속에서 보냈지만 말이다.

그날 겪었던 모든 일과 나눴던 모든 대화, 수진을 잃었다는 것을 깨달았던 순간 느꼈던 모든 감정이 생생하게 기억 속에 남아있었다. 오랫동안 그 자리에 서서 수진이 돌아오길 하염없이 기다렸다. 벨루스는 본인이 무엇을 잘못했을까 고민하고 또 고민했고, 그에 대한 수많은 답도 찾아낸 것 같았지만 사과를 받아줄 수진은 돌아오지 않았다.

벨루스는 말없이 수진을 바라보았다. 수진은 대답하지 않는 벨루스를 보며 혹시 못 들었는가 싶어 다시 한번 반복했다.

"진짜 소중한 애거든요. 혹시 검은 털에 노란 눈 고양이 못 보셨을까요?"

벨루스는 회색 고양이었다. 검은색이라고 해봤자 회색 위에 덧댄 무늬 정도였다. 심지어 수진의 고양이는 이쪽 세계의 고양이도 아닌 듯했다. 여기서는 모두가 은색 눈동자를 가지고 있으니 말이다. 그 깨달음에 벨루스의 세상이 어둡게 물드는 것 같았다.

"고양이 거주지로 가보세요."

벨루스는 힘없이 대답했다. 마음 같아서는 나는 기억하지 못하냐고 따지고 싶었지만, 벨루스는 이미 자신이 대체되었음을 실감했다. 잊힌 것이다. 하지만 어리둥절한 수진의 얼굴을 보고 있자니 10년 전 추억들이 떠올라 스멀스멀 올라오는 미련은 어찌할 도리가 없었다.

벨루스는 이 순간 결정해야 한다는 사실을 깨달았다. 다시 한번 친구가 될 것인지, 혹은 자신이라도 그 추억을 고이 간직한 상태로 살 것인지.

벨루스는 다시 한번 수진을 잃을 자신이 없었다. *그렇다면 지금이 기회가 아닐까?* 벨루스는 생각했다. 다시 친해질 기회이다. 같이 있다 보면 기억을 되찾을 수도 있다. 그 생각까지 미치자, 벨루스는 힘없이 뒤돌아서는 수진을 불러세울 수밖에 없었다.

"같이 가줄게요!"

마침 교대근무가 끝나는 시간이었다. *세상도 날 도와주는구나*, 벨루스는 생각했다.

둘은 벨루스가 직접 발권한 티켓을 들고 기차에 올랐다. 여섯 개의 마을을 다 순회하는 기차이다 보니 원하는 '사포르니'까지 가기엔 시간이 조금 걸렸지만, 벨루스는 개의치 않았다. 오히려 수진이 고양이를 빨리 만나고 싶은 마음 때문인지 계속 창문 밖을 애처롭게 둘러보았다. 벨루스는 그 모습을 애써 외면했다.

"여긴 왜 온 거예요?" 벨루스가 물었다.

"네?" 수진이 고개를 돌려 벨루스를 쳐다봤다.

"이쪽 사람 아니잖아요."

당황한 수진은 선글라스를 더 눌러쓰더니 티가 많이 나냐고 속삭이며 물었다. 벨루스는 냄새가 다르다고 했다. 실은 벨루스였기 때문에 알 수 있는 냄새였다. 수진이었기 때문에 기억하는 냄새였다. 수진은 모르겠지만.

수진은 왠지 모르게 뾰로통한 표정의 벨루스를 내려다보았다. 귀가 한껏 뒤로 젖혀있는 것을 보니 어딘가 언짢은 것 같았다. 키우던 고양이와 비슷하다고 생각하며 수진은 자신도 모르게 머리를 쓰다듬기 위해 손을 들었다가 다시 내려놓았다. 습관이었다.

"고양이가 아파요. 지금 혼수상태에 빠졌는데, 여기 오면 다시 데려갈 수 있을까 싶어서 왔어요."

벨루스는 씁쓸한 표정의 수진을 쳐다보았다. 오묘한 감정이었다. *나를 떠난 뒤에도 그 표정을 지어주었을까?* 벨루스의 작은 심장이 조금, 아주 조금 아팠다. 그래서 대수롭지 않게 넘어갈 수 있는 정도라고 믿었다. 오히려 벨루스를 더욱 슬프게 만든 건 수진이 모든 걸 잊어버리지는 않았다는 사실이었다.

'저쪽' 세계 사람들은 강력한 통제 대상이지만 동물들은 아니었다. 인간들은 센트럴 정중앙에 위치한 꿈의 영역에서 벗어나게 되면 잡히는 즉시 추방당하지만, 동물들은 인간만큼 위협이 되지 않아 이쪽 주민들이 사는 구역까지 자유롭게 넘나들 수 있었다. 벨루스가 10년 전에 직접 수진에게 해줬던 이야기였다. 수진이 본인의 고양이가 이곳에 와있을 것이라고 믿는다는 건, 그 말을 기억하고 있다는 뜻이었다.

이번엔 꽤 많이 아팠다. 수진은 그런 벨루스의 마음은 모르는 듯, 자기 고양이가 얼마나 귀엽고 사랑스러운지 자랑하기 시작했다. 벨루스가 알고 싶은 것보다 자세했고, 그 이야기를 전하는 수진의 목소리가 너무 따뜻했다. 벨루스는 아무 말도 할 수 없었다.

"아, 벨루스 씨. 저 잠시 실례 좀 할게요."

갑자기 수진은 쫓기듯 선글라스를 벗고 그걸 벨루스 머리에 얹었다. 그리고 창문에 기대 눈을 감고 자는 척을 했다. 어리둥절한 벨루스가 무슨 상황인지 파악하려고 주변을 둘러보던 그때, 앞 칸에서 젊은 여자 한 명과 남자 둘이 문을 열고 넘어왔다. 평범한 옷차림을 하고 있었지만, 그 허리춤에는 총이 걸려있었다. 요원들이었다.

요원들은 '저쪽' 세계에서 넘어온 사람들을 되돌려보내는 일을 했다. 저 총으로 쏘는 걸까? 벨루스는 갑자기 밀려오는 긴장감 때문에 발바닥에 땀이 나고 털이 서기 시작했다. 앉은 다리 사이로 보이는 꼬리도 털이 바짝 서있었다. 어쩔 수 없이 본능적인 것이었다. 벨루스는 이런 자신을 원망하며, 이러다 들통나는 것은 아닌지 걱정이 들기 시작했다. 아나나 다를까, 요원들이 벨루스를 유심히 관찰하다가 천천히 다가왔다. 수진은 아직 창문에 기대 눈을 감고 있었다.

"저기요 괜찮으세요?" 남자 요원 한 명이 말을 건넸다.

"갑자기 긴장하시길래." 여자 요원이 말을 덧붙이면서 옆에 잠든척 하는 수진을 힐끔 쳐다보았다. 그리고 그 옆의 다른 남자 요원에게 귓속말로 무엇인가 중얼거렸다. 그 남자 요원도 수진을 유심히 쳐다보았다.

"아, 제가 오늘 제 반려인과 처음 외출한 거라서요. 총도 보이고 하니까 조금 긴장이 되네요." 벨루스는 요원 허리춤에 걸려있는 총을 가리켰다.

남자 요원은 벨루스의 작은 앞발이 가리키는 총을 보고는 웃음 지었다. 이건 생명을 위협하는 물건이 아니라며 안심해도 된다며 말이다. 그리고 같이하는 첫 외출인데 잠든 반려인이 너무하다며, 긴장 풀고 즐거운 여행이 됐으면 좋겠다고 덧붙였다.

"선글라스 잘 어울리네요." 여자 요원의 마지막 한마디와 함께 요원들이 다음 칸으로 이동했다. 그리고 곧이어 벨루스는 머리를 쓰다듬는 손길이 느껴졌다. 수진이었다. 수진은 습관이라며 바로 손을 떼고 사과를 했지만 입은 웃고 있었다. 그리고 아주 오랜만에, 벨루스는 수진의 깊은 검은색 눈동자를 바라볼 수 있었다. 눈은 10년 전과 같이 반달 모양이었다.

벨루스와 수진은 미각의 마을 '사포르니'에 도착했다. 이곳엔 고양이 외에도 다양한 동물이 인간들과 함께 살아가는 곳이었다. 다양한 음식을 언제 어디에서나 찾을 수 있다는 점이 가장 큰 이유였지만, 청각의 마을 '오디우라'와 동떨어져 있다는 점도 크게 작용했다. '오디우라'는 항상 소리로 가득 차 있는 마을이었기 때문에, 특히 청각이 예민한 고양이들에게 그곳은 고역이었다. 그러다 보니 조용하면서도 먹을거리가 풍부한 '사포르니'에 자연스레 고양이 거주지가 형성된 것이었다.

벨루스는 이제 더 이상 그곳에 살고 있지 않지만, 수진과 처음 만난 곳이었기에 의미가 깊었다. 그래서 수진을 데리고 고양이 거주지로 향하는 길에는 설렘 너머 두려움도 깔려 있었다. 낯설면서도 익숙한 건물들 사이사이를 걸어 들어가면서 그 조그마한 심장이 콩콩거렸다. *기억해 줄까? 기억해 줬으면 좋겠다.* 벨루스는 생각했다.

고양이 거주지는 건물들 사이에 위치한 꽤 큰 규모의 이질적인 공간이었다. 커다란 나무들이 주변 건물들과 묘한 조화를 이루며 공터 여기저기에 뿌리를 내려 자리를 잡았고, 다양한 크기와 색상의 상자들이 나무 몸통과 줄기에 고정되어 있었다. 그리고 우거진 나무와 건물의 그림자 때문에 전반적으로 어둑한 분위기와 달리 공터 정중앙에는 햇빛이 강력하게 내리비치며 일광욕을 즐길 수 있는 쉼터를 만들어주었다. 10년 전에 벨루스가 살던 때보다 나무는 더 우거지고 상자의 수도 훨씬 더 많아졌지만, 고양이들의 습성만큼은 그대로였다.

수진은 고양이 거주지에 진입하자마자 소리쳤다. "어? 나 여기 와봤는데?" 갑작스러운 소리에 여기저기서 고양이들이 수진을 경계하며 째려보았다. 그중 한 마리는 경계심 보다 희망에 가득 찬 눈이었지만 말이다.

벨루스는 그 기억 속에 조금이나마 자신의 흔적이 남아있으리라 믿었다. 그 수많은 고양이 중에서 특별했던 한 마리가 있었음을, 그리고 그 고양이를 가장 좋아했음을. 위험을 무릅쓰고 이곳에 오게 한 그 고양이 이전에 벨루스가 있었다는 사실을 깨달아주길 바랐다. 하염없이 기다리면서 켜켜이 쌓여온 서러움도 그 순간 바로 녹을 것 같았다.

"제가 실은 이쪽으로 넘어온 게 이번이 처음이 아니거든요. 예전에 여기 와봤던 것 같아요."

수진은 그 말을 뒤로 하고 고양이 거주지를 천천히 돌아다니며 구경하기 시작했다. 정확히는 검은색 고양이를 찾기 위해서였지만, 이 공간 자체도 신비로웠기 때문에 자연스레 눈이 돌아갔다. 각양각색의 고양이가 있었다. 상자 안에서 똬리를 틀며 누워있던 고양이들도, 나무 위에서 열심히 서로를 그루밍하던 고양이들도, 일광욕하며 졸고 있던 고양이들도 모두 갑작스레 찾아온 외부인을 쳐다보았다. 사람이야 수도 없이 봐왔지만 고양이 거주지까지 들어오는 사람은 많지 않았다. 경계심 가득한 눈으로 째려보는 이가 있는가 하면, 몇몇 호기심 어린 고양이들은 수진에게 다가와 냄새를 맡았다. 대부분은 은색 눈동자였지만 일부 다른 색상의 눈동자를 가진 고양이들도 있었기에, 수진은 들뜨기 시작했다.

수진이 검은색 고양이를 보지 못했느냐고 물으면서 조심스레 돌아다니는 와중에, 벨루스는 수진의 뒷말을 기다렸다. 나는 기억이 안 나냐고 한마디만 하면 됐지만, 벨루스는 수진이 직접 기억해 줬으면 좋겠다고 생각했다. 너무 오래됐으니까, 기억은 다시 떠올리면 되는 것이다. 그래만 준다면, 떠올려주기만 한다면 모든 게 다 괜찮아질 거라고 생각했다. 수진이 10년 전 그날 벨루스가 웅크리고 있던 나무 그루터기를 미련 없이 지나치기 전까지는 말이다.

"장난치는 거지?"

수진은 울음 섞인 목소리와 달라진 말투에 놀라 뒤를 돌아보았다. 벨루스가 그루터기 앞에 우두커니 서있었다. 여태까지 정중한 말투였던 벨루스가 갑자기 내던진 그 한마디에서 설움이 느껴졌다. 수진은 조심스럽게 벨루스에게 다가갔다. 무슨 영문인지 모르겠지만 자기가 큰 잘못을 했다는 것은 직감적으로 알 수 있었다. 수진은 왜 그러냐며 벨루스를 향해 손을 뻗었지만, 벨루스는 그 손길을 피하며 그루터기 위로 올라갔다.

"여기엔 없어. 검은색 고양이."

잔뜩 화가 난 벨루스가 털을 세우며 수진에게 내뱉었다. 절규에 가까운 하악질과도 같았다. 수진은 갑작스러운 벨루스의 분노에 당황하여 멈칫했지만, 곧이어 몸통을 숙여 벨루스의 한쪽 눈을 마주치고는 눈을 천천히 깜빡였다. 그리고 천천히 손을 들어 볼을 어루만지며 그 작은 이마에 본인의 입술을 갖다 댔다. 부드러운 털에서 아기 냄새가 났다. 괜찮다고, 미안하다고 속삭이며 영문도 모를 벨루스의 화를 누그러뜨렸고, 날카롭게 서있던 벨루스의 털이 조금씩 가라앉았다. 손가락 끝에 작은 진동이 느껴지기도 했다.

벨루스는 수진의 손길을 느끼며 자신의 치기 어린 거짓말은 계속 숨기기로 결심했다. 수진은 골목으로 사라진 검은색 꼬리를 보지 못한 듯했다. 벨루스는 10년 전의 투박했던 그 손길도, 지금 이 손길도 모두 자신의 것이었으면 했다. 수진은 요원들을 잘 따돌릴 수 있을 거야. 벨루스는 생각했다. 가슴 한켠에 남아있는 죄책감이 무시할 수 없을 만큼 커져 버리기 전에 고이 덮어두기로 마음먹었다. 마치 먼짓덩어리를 카펫으로 덮어버리듯, 그렇게 외면하면 될 일이었다.

벨루스는 '비지오네' 축제에 가자며 수진을 이끌었다. 사람들이 많으니 검은색 고양이를 본 사람들도 많을 것이라는 주장이었다. 수진은 찜찜한 마음이었지만 순순히 벨루스를 따라가 주었다. 변장하기 훨씬 쉬울 거라는 벨루스의 주장도 일리가 있었다. 그래서 기존의 선글라스보다 오히려 더 화려하고 우스꽝스러운 선글라스와 파란색 코트를 구매하여 입었다. 벨루스도 평소라면 옷은 질색했겠지만, 오늘만큼은 기꺼이 파란색 나비넥타이를 맸다. 10년 전, 함께 축제로 향할 때 느꼈던 설렘만큼이나 벅차오르는 감정이었다.

마을 전체가 축제 분위기였다. 일 년에 일주일밖에 열리지 않는 이 축제는 시각의 마을 '비지오네'에서 열리는 만큼 형형색색의 시각적인 볼거리가 가득했고, 이때만큼은 사람들이 각 마을에서 다양한 음식과 음악 등 즐길 거리를 가져왔다. 벨루스를 포함한 대부분이 행복에 젖어 있었다. 한 사람만 빼고 말이다.

수진은 애석하게 흐르는 시간이 자신의 편이 아님을 알았다. 이 휘황찬란한 인파 속에서 자신의 고양이를 찾을 수 있을 것인지 불안한 마음이 앞섰다. 지나가는 사람들을 붙잡고 혹시 검은색 고양이를 보지 못했느냐고 물어보아도 모두 축제 분위기에 휩쓸려 조금의 어두움도 허용하지 않는 듯했다. 심지어 벨루스마저도 수진의 고양이를 찾으려는 마음보다는 이 축제를 즐기고 싶어 하는 마음이 더 커 보였다. 그래서 벨루스가 '사포르니'의 명물인 연어빵을 먹으러 가자고 말을 꺼냈을 때 수진의 반응은 냉랭했다.

"여기 놀러 온 게 아니잖아요. 도와주기 싫으면 이제 그만둬요."

당황한 벨루스는 그게 아니라며, 배를 채우고 나면 더 열심히 찾을 수 있어서 그렇다고 해명했지만, 수진의 표정은 이미 굳어있었다. 벨루스는 자신의 코와 귀만 있으면 곧 찾을 수 있다고 말했다. 절박했다. 혹시나 또 한 번 말도 없이 사라질까 봐 무서웠다. 카펫으로 덮여 있던 먼짓덩어리가 불어나기 시작했다. 그래서 수진이 고양이 꼬리를 본 것 같다고, 찾으러 다녀오겠다며 인파 속으로 사라질 때, 벨루스는 자욱해진 먼지구름에 숨이 막혀 제대로 따라갈 수 없었다. 흥겨운 사람들의 발은 작은 생물의 애달픔에는 큰 관심이 없는 듯했다.

벨루스는 수진을 따라가는 것은 포기하고 10년 전에 수진을 기다렸던 분수대로 걸음을 돌렸다. '비지오네' 광장에서 가장 눈에 띄는 거대한 분수였다. 수진은 나만큼 냄새를 잘 맡거나 소리를 잘 듣지 못하니까. 벨루스는 물이 그나마 덜 튀던 자리로 향했다. 분수 구멍 중 하나가 막혀서 물이 잘 나오지 않던 방향이었다. 하지만 벨루스가 모르는 사이에 고쳐졌는지 물이 안 튀는 곳은 더 이상 없었다. 벨루스의 파란색 나비넥타이에 물방울 자국이 모여 조금씩 커졌다.

그때, 물소리 너머 벨루스의 귀를 자극하는 소리가 들려왔다. 기차에서 만난 요원들의 목소리였다. 처음엔 웅웅거리는 소리에 불과했지만, 귀를 기울이니 조금 더 명확하게 들을 수 있었다.

"아깐 그냥 보내주긴 했는데, 내버려둬도 되는 거야?"

"불쌍하잖아. 애착이 심하다고 기억도 없었다는데 또다시 그렇게 붙어 있는 게."

벨루스가 그게 수진과 자신의 이야기라는 걸 깨닫기까지 오래 걸리지 않았다. 10년 전 수진이 갑자기 사라진 이유도, 벨루스에 대한 기억만 전부 잊어버린 이유도 모두 설명이 됐다. 차가운 물방울보다도 시린 현실이었다. 하지만 뒤이어 들려온 내용보다 더 무서운 것은 없었다.

"어차피 우리가 찾아 나서기엔 늦었어. 곧 수신 끊겨 없어질 텐데 그냥 즐기라고 내버려둬."

그 말을 들은 벨루스는 자리를 박차고 일어났다. 곧이어 필사적으로 사람들의 다리 사이를 뛰어다니며 수진의 냄새와 목소리를 찾기 시작했다. 오랫동안 뛰어다니기엔 벨루스의 체력도, 관절도 예전만 못했지만, 무지했던 자신에 대한 원망이 원동력이 되어주었다. 수진과의 추억이 모두 사라지더라도 아무렴 괜찮았다.

사람들이 걸으며 흩뿌리는 먼지 때문에 벨루스의 남아있는 한쪽 눈도 뿌옇게 가려졌지만, 청각과 후각에 집중하며 수진의 흔적을 찾았다. 이보다 더 심장이 아팠던 적은 없었다. 숨이 너무 차서인지, 혹은 다른 이유 때문인지는 모르겠지만 말이다.

벨루스는 드디어 수진의 흔적을 맡았고, 그 방향을 향해 전속력으로 달렸다. 사람들의 다리를 피해 다니는 건 포기한 지 오래였다. 오히려 놀란 그들이 알아서 피해주었다. 네 개의 다리 모두 감각을 잃은 것 같았다. 그리고 그렇게 찾아 헤매던 달콤한 향기 끝에는 수진이 검은색 고양이를 안고 주변을 두리번거리고 있었다. 그러다가 달려오는 벨루스와 눈이 마주쳤다.

"벨루스 씨, 찾았어요! 다른 고양이가 불러줬어요."

수진은 기차역 창구를 향해 다가오던 그때보다 환하게 웃으며 고양이를 들어 올렸다. 벨루스를 처음 만났을 때만큼 행복해 보였다. 벨루스는 그 자리에서 다리에 힘이 빠져 바닥에 털썩 주저앉았다. 놀란 수진이 급히 뛰어왔지만, 벨루스는 수진의 품에 안겨 있는 심드렁한 표정의 고양이에게서 눈을 뗄 수 없었다.

수진이 그렇게 자랑하던 고양이의 영롱한 노란색 눈동자는 하나밖에 보이지 않았다. 왼쪽 눈동자는 앞이 보이지 않는지 흐릿한 회색이었다. 벨루스는 때마침 찾은 자신의 흔적에, 그 자리에서 흐느끼 울듯 울부짖었다.

"너 빨리 가야 해."

"벨루스 씨?"

"빨리 돌아가야 해."

벨루스는 빨리 집으로 돌아가라고 소리쳤다. 너무 오랜만에 봐서 남아있으면 하는 마음에 욕심을 부렸다고 사과하면서 수진을 힘없이 밀어냈다. 수진은 벨루스의 새빨간 코, 절규하는 듯한 목소리, 그리고 자신을 밀어내는 그 작은 앞발이 너무 애처로워 눈물을 글썽였다. 왜 그러냐고 묻는 수진의 질문에도 벨루스는 빨리 돌아가야 한다고 반복할 뿐이었다. 수진은 결국 승낙할 수밖에 없었다.

나중에 꼭 다시 돌아오겠다는 수진의 말에도 벨루스는 고개를 저었다. 하늘이 조금씩 어둑해지고 있었다. 이젠 진짜 보내줄 때가 되었다.

"난 이미 충분해."

아프지만 확신에 찬 한마디였다. 더 이상의 욕심은 수진을 아프게 할 뿐이었다. 그 사실을 깨닫기까지 10년이 걸렸다. 벨루스는 수진의

행복을 빌어주었다. 기억보다도 행복의 흔적으로 남아있음에 감사함
을 느끼며, 벨루스는 수진을 또 한 번 떠나보냈다. 이번에는 버려진
게 아니었다.

3번째 단편: 꿈으로 돌아가는 길

아모르토는 이마에서 흐르는 땀을 새하얀 손수건으로 닦으며 시계를 내려다보았다. 세향과 만나기로 약속한 시각이 훌쩍 넘었는데 보이지 않는다. 아모르토의 손이 들고 있던 장바구니를 더욱 세게 움켜쥐었다. 꽉 깨문 입술에서는 피 맛이 느껴졌다. 시계를 아무리 쳐다보아도 시간이 더욱 빨라지거나 느려지거나, 혹은 멈추지도 않는다. 그저 평소와 다름없이 틱틱 소리를 내며 돌아갈 뿐이다.

아모르토는 다시 한번 고개를 들어 주변을 둘러보았다. 무더운 날씨 때문인지 역 앞에는 사람이 많지 않았다. 강렬한 햇빛을 피하고자 양산을 들거나 선글라스를 끼고 있는 사람들이 대부분이라 어디 사람인지도 잘 분간이 되지 않는다. 어렴풋이 저 멀리서 푹푹 거리는 기차 소리가 들려온다. 아모르토가 끊어놓은 기차표의 출발시간이 다가오고 있다.

딱딱거리며 바닥을 치는 구두소리가 점차 빨라지고, 장바구니를 잡은 손이 새하얘지다 못해 감각이 사라질 때쯤, 저 멀리서 들리는 다급한 또각소리가 빠르게 다가왔다.

"아모르토! 미안해요."

아모르토는 소리를 향해 고개를 휙 돌렸다. 곧이어 손에 들려있던 장바구니가 바닥으로 툭 떨어졌다. 손잡이 끈이 주름져 있다. 장바구니는 바닥에 덩그러니 내버려둔 채 아모르토는 세향을 향해 달려갔다. 푹푹 찌는 무더위를 가르는 바람도 후덥지근해서 아모르토의 이마에 송골송골 맺힌 땀을 식혀주지는 못했다.

아모르토는 세향을 꽉 끌어안으며 한숨을 크게 쉬었다. 그렇게 몇 분을 붙들고 있다가 빠르게 뛰던 심장도 어느 정도 안정이 되자, 그제야 따뜻하게 달궈진 팔을 풀고 세향의 얼굴을 보았다. 하지만 아모르토는 세향의 얼굴을 보자마자 인상을 찌푸렸다. 세향은 급히 손으로 이마의 상처를 가렸다. 세향의 검은 눈동자가 아모르토를 쳐다보지 못하고 길을 잃고 방황했다.

"이마는 왜 그래요?"

"아무것도 아니예요."

아모르토는 이마를 가린 세향의 손을 잡고 조심스럽게 내렸다. 세향은 눈을 질끈 감으며 순순히 이마를 보여주었다. 피가 많이 나는 정도는 아니지만 어디엔가 쓸린 상처였다. 아모르토는 눈이 파르르 떨리는 세향을 지긋이 내려다보다가 머리를 쓰다듬으며 많이 아팠겠다고 중얼거렸다. 세향은 고개를 들어 아모르토의 은색 눈동자를 쳐다보고는 고개를 한 번 끄덕였다. 더위 때문인지 세향의 얼굴이 분홍빛으로 상기됐다.

세향은 아모르토의 손을 살며시 잡고 기차 시간에 늦겠다며 기차역으로 이끌었다. 아모르토는 남은 한 손으로 세향이 손에 쥐고 있던 장바구니를 가져갔다. 그리고 기차역에 가는 길에 바닥에 떨궜던 장바구니까지 수거하고 나서야 둘은 배시시 웃었다. 기차시간은 이미 지난 지 오래였다.

다음 기차표를 끊고 집으로 돌아가는 기차 안에서 세향은 창문에 기대 새근새근 잠에 들었다. 살짝 열린 창문으로 더운 바람이 솔솔 들어와 정갈하게 묶어놓은 그녀의 머리카락을 흩트렸다. 맞은편에 앉은 아모르토는 잠들어 있는 세향의 얼굴을 바라보며 미소 짓다가, 그녀의 매끈한 이마에 생긴 상처를 보고 다시금 인상을 찌푸렸다. 아모르토가 손에 들고 있던 신문에는 '이탈자에 대한 들끓는 민심'이 커다랗게 적혀있었다.

이주일 전, '이탈자'라고 명명된 '저쪽' 사람들에 대한 처분 심사가 시작되었다. 꿈의 영역을 벗어난 한 남자가 우발적으로 저지른 살인 사건으로 촉발되어, 이탈자 전체에 대한 규제까지 확대된 것이었다. 애초에 넘어오면 안 되는 사람들이었다는 주장과, 그래도 우리와 다를 게 뭐가 있냐는 주장이 팽팽하게 대립하다가 최근에는 이탈자를 추방하자는 의견이 우세해졌다. 센트럴에 있는 푸른빛의 돔, 꿈의 영역 앞에서 시위하는 사람들이 늘어났다. 몇 주 전만 해도 세향에게 친절했던 주민들도 이제는 대놓고 적대시하기 시작했다. 검은 눈동자가 소름이 끼친다는 둥, 왜 안 돌아가냐는 둥 …. 세향은 내색을 하지 않았지만, 집 밖으로 나가는 횟수가 확연히 줄었다.

아모르토는 신문을 읽어 내려갔다. 이탈자 추방을 주장하는 시위가 더욱 거세지고 있었다. 처음에는 소수에 불과했던 시위대가 며칠 사이에 몇십, 몇백 명까지 늘어났다. 아무런 제약 없이 원하는 대로 이동할 수 있는 이탈자들의 특성은 결국 가게 물건을 약탈했다, 집에 무단으로 침입했다는 둥 무성한 소문을 낳았다. 가끔 그런 사건□사고들이 발생하기는 했지만, 이번처럼 이탈자들에게 집단적으로 적대감을 드러내는 건 거의 처음이었다.

"이제 내려야 해요."

아모르토는 고개를 들었다. 잠에서 깬 세향이 짐을 싸며 아모르토를 향해 싱긋 웃어 보였다. 머리는 다시금 단정하게 묶여있었다. 세향은 아모르토가 보던 신문을 힐끔 쳐다보았지만, 눈을 돌려 다시 짐을 주섬주섬 쌌다. 아모르토는 창문 밖을 내다보았다. 우거진 나무들 사이로 집이 몇 채 보이기 시작했다. '오디우라'의 초입이었다.

아모르토는 세향이 싼 짐을 들고 자리에서 일어났다. 세향은 자연스럽게 아모르토의 손을 잡고 고개를 숙였다. 둘은 아무 말 없이 조용히 기차에서 내렸다. 청각의 마을답게 시끌벅적한 승강장의 열띤 활기를 지나 조용한 그들만의 아지트로 빠르게 걸음을 옮겼다.

세향과는 몇 개월 전에 만났다. 아모르토는 그의 악기 매장 앞에서 서성이던 세향을 발견했다. 고풍스러운 자줏빛 원피스, 색깔을 맞춘 뽀족구두, 희고 고운 피부, 단정하게 틀어 올린 광채 나는 검은색 머리, 그리고 검은색 눈동자. 그녀를 매장 안으로 들이자마자 코끝에 은은한 꽃향기가 남았다. 아모르토는 악기를 수리하느라 땀에 젖은 이마를 손등으로 급하게 닦아냈다. 세향은 그런 아모르토에게 싱긋 웃어 보이며 새하얀 손수건을 건넸다. 아모르토는 손을 두 번 털고 손수건을 건네받았다.

세향은 그저 정처 없이 떠돌아다니다가 이곳까지 왔다고 말했다. 발이 조금 아프다면서, 혹시 쉬어가도 되겠냐고 물었다. 아모르토는 쉬다 가라며 의자를 하나 내어주고 다시 악기를 수리하고자 작업 테이블로 돌아갔다. 뒤에서 드르륵하는 소리와 털썩 소리가 들렸다. 둘은 아무 말도 없었다. 아모르토가 마지막 단계로 악기 현을 모두 교체하고 음을 조율할 때까지 세향은 아무런 말도 없이 작업 과정을 지켜봤다. 그러다가 한마디를 건넸다.

"하프 같이 생겼네요."

아모르토는 고개를 들어 세향을 바라보았다.

"거기서는 이걸 하프라고 하나요?"

"리라 같기도 하고요."

아모르토는 다시 고개를 돌려 악기를 내려다보았다. 원형의 평평한 몸체에 세로로 배열된 줄들이 탄력 있게 고정되어 있었다. 아모르토는 입가에 약간의 미소를 머금으며 세향에게 연주해 보고 싶은지 물었다. 세향은 아모르토에게 환하게 웃어 보이며 자리에서 일어나 다가왔다. 꽃향기가 진해졌다. 세향은 손가락 뒷면으로 현의 표면을 매끄럽고 우아하게 훑었다. 메아리처럼 울리는 부드러운 물결 같은 소리가 매장 안에 울려 퍼졌다. 세향은 아모르토를 올려다보았다. 공명마저 사라져 적막만 남을 때까지 둘은 그렇게 서로의 눈을 응시했다.

제일 먼저 시선을 돌린 것은 아모르토였다. 세향의 눈을 피한 채, 다 쉬었다면 이제 돌아가 봐야 하지 않냐며 말을 꺼냈다. 그리고 더 이상 수리할 게 없는 악기를 들어 올려 이리저리 살펴보았다. 세향은 붉어진 뺨을 손등으로 식히며 다시 의자로 돌아가 앉았다. 아직 다리가 아픈 것 같은데 조금만 더 구경해도 괜찮냐는 말을 덧붙이며. 아모르토는 말없이 고객을 끄덕였다. 힘껏 다문 입술에는 숨길 수 없는 미소가 잔잔하게 남아있었다.

세향은 그 이후로도 계속 다리가 아프다는 핑계를 대며 돌아가지 않았다. 아모르토는 돌아가길 거부하는 세향에게 그 이유를 묻지 않았다. 대신 집의 일부를 내어주며, 삶을 공유하기 시작했다. 아모르토의 악기 매장과 연결된 아늑한 집이 그들의 안식처였다. 따뜻한 목재 바닥과 세월의 흔적이 남아있는 은은한 색조의 벽, 곳곳에 배치된 악기와 음악 관련 소품들, 작은 뒷마당이 보이는 거실 창문으로 쏟아지는 자연광까지, 모두 세향이 돌아가지 못하는 이유라고 언급한 것들이었다. 마지막에는 항상 아모르토가 있었다. 그 얘기를 듣고 나면 아모르토는 분홍빛이 된 얼굴을 숨기며 방으로 들어가곤 했다. 방 밖에서 세향의 웃음소리가 들려오면 아모르토는 눈을 감고 그 소리를 감상했다.

아모르토는 세향의 세계에 대해서, 그녀의 가족과 삶에 대해서 많은 질문을 하지 않았다. 하지만 가장 많이 이야기하는 주제가 있다면, 바로 음악이었다. 세향은 자신의 개인사에 대해서는 말을 아끼는 편이었지만, '저쪽' 세계에서 유행하고 있는 뮤지컬과 노래, 세향이 자주 연주하던 곡, 악기의 역사 등에 대해서는 열정적으로 이야기했다.

특히 세향은 '저쪽' 세계의 악기를 이곳에 나타낼 수 있다고 말했다. 이탈자의 능력 중 하나였다. 그 모양에 대해서 아주 구체적으로 상상을 해야하므로 힘이 조금 들기는 하지만, 머릿속에 그림만 잘 그린다면 못 가져올 게 없다며 매일 연습을 하겠다고 선언했다. 실제로 며칠 뒤에 이게 바로 바이올린이라면서 아모르토에게 보여주었다. 그 놀라운 디테일과 완성도로 아모르토를 감탄하게 했다. 이후에도 몇 번, 시행착오가 있기는 했지만 아모르토를 위한 선물이라며 '저쪽' 세계의 악기들을 만들어냈다. 피아노는 매번 실패했지만 말이다.

"제가 제일 잘 치는 게 피아노인데. 나중에 꼭 보여줄게요."

아모르토는 그런 세향의 볼을 어루만지며, 이마에 입을 맞췄다.

"천천히 해도 돼요."

거세지는 시위와 세향을 향한 주민들의 부정적인 시선 때문인지, 세향은 날이 갈수록 우울감에 빠지고 야위어 갔다. 세향은 평소에 매장에서 청소하다가 진열된 악기를 연주하고, 연주 소리를 들으러 온 주민들과 수다를 떠는 게 일상이었다. 이제는 간간이 아모르토와 장을 보러 갈 때 외에는 집 안에만 있었다. 장을 볼 때도 모자를 푹 눌러 쓰거나 선글라스를 껴야만 했다.

"저랑 같이 '저쪽' 세상으로 넘어갈까요?"

아모르토가 말을 꺼냈다. 세향은 힘없이 웃으며 그게 어떻게 가능하겠느냐고 답했다. 아모르토는 그냥 센트럴에 있는 푸른빛 돔을 같이 통과하면 되는 것 아니겠냐며, 진담인지 농담인지 본인도 모를 제안을 건넸다. 세향은 고개를 저었다. 설령 가능하더라도 돌아가고 싶지 않다는 게 그녀의 대답이었다.

아모르토는 세향을 지긋이 쳐다보았다. 광이 나던 매끈한 얼굴엔 이곳저곳 생긴 굴곡으로 그림자가 드리웠고, 입술은 푸석푸석 말라갔다. 눈 밑은 푹 꺼져서 오랫동안 잠을 자지 못한 사람처럼 검푸른색을 띠었다. 아모르토는 빗을 집어들고 떨리는 손으로 세향의 머리카락을 빗겨주었다. 세향이 눈을 감고 미소 지었다.

"내가 왜 안 돌아가는지 궁금하지 않아요?"

"궁금해요. 근데 말하기 싫으면 안 해도 돼요."

세향은 빗이 머리카락을 쓸어 넘기는 소리를 들으며, 아모르토의 떨리는 손이 목 뒷덜미를 이따금 스치는 것을 느끼며, 다물고 있던 입을 열었다.

세향은 부모님을 일찍 여의고 형제자매도 없는 터라 할아버지 밑에서 홀로 자랐다. 하지만 할아버지도 지병으로 돌아가시면서 모든 유산을 세향에게 남겼는데, 그걸로 세향이 온 친척의 미움을 사게 될 것이라곤 예상하지 못했다고 한다. 세향은 그렇게 모든 유산을 상속받은 상태에서 교통사고를 당해 혼수상태에 빠졌고, 후견인도 전문 변호사가 맡게 되어 가족 구성원 그 누구도 유산에 손을 대지 못하는 상태가 되었다. 그렇다 보니 오히려 세향이 살아 돌아오는 것보다 그대로 떠나버리는 걸 모두가 바라고 있다고, 세향은 담담하게 덧붙였다.

이제는 혼수상태에서 깨어날 수 있지만 본인이 원하지 않는다는 말, 지금 몸이 아픈 것도 가족이 잠들어있는 자기 몸을 제대로 돌봐주지 않아서라는 말, 모두에게 미움받더라도 자신을 사랑해 줄 사람이 있는 곳에 남고 싶다는 말. 그 말을 들을 때마다 머리카락을 빗고 있던 아모르토의 손이 멈칫했다. 이후 꽤 오랫동안 적막이 이어졌다.

"이탈자들에 대한 처분 결과가 곧 나올 거예요. 그전에 갔다 오는 건 어때요?"

세향은 고개를 획 돌려 아모르토를 쳐다보았다. 아모르토는 세향과 눈높이를 맞춰 앉으며 말했다. 건강하게 오래 남아있기 위해 선택을 해야 한다고. 차분한 그의 말투와 달리, 세향이 앉아있는 의자를 움켜쥔 아모르토의 두 손이 힘줄이 터질 듯 새하얘졌다.

집으로 돌아가 모든 걸 제대로 정리하고 오겠다는 세향의 결심에 아모르토는 센트럴로 데려다주겠다고 말했다. 갔다가 돌아올 때까지 앞에서 기다리고 있겠노라 말하며 세향을 안심시켰다. 그 전날 밤에는 서로를 끌어안고 잠에 들었다. 잠들기 전, 세향은 돌아가서 피아노를 제대로 보고 그림이라도 그려오겠다고 말했다. 그리고 아모르토는 세향이 돌아오면 어딘가 구석지고 조용한 곳으로 이사가서 단둘이서 자연과 음악을 느끼며 살자고 약속했다. 그렇게 약조한 둘은 다음날 센트럴행 기차에 올랐고, 서로 마주 보며 앉던 평소와는 다르게 이번엔 나란히 앉아 서로의 손을 붙들고 있었다. 땀이 홍건해질 때까지 놓지 않았다.

센트럴 역에서 내리자, 승강장에서부터 평소와는 다른 소란스러움이 느껴졌다. 다급하게 기차에 오르는 사람들, 반대로 급히 역 밖으로 뛰어나가는 사람들, 그리고 놀란 표정으로 웅성거리는 사람들. 그 소란 속에서 아모르토와 세향의 발걸음도 덩달아 빨라졌다.

꿈의 영역인 돔은 저 멀리에서 한눈에 보일 정도로 거대했다. 그 웅장한 푸른빛의 구조물이 평소와 다름없이 그 자리에 우뚝 솟아 있는 것을 확인하자, 아모르토는 깊은 한숨을 내쉬었다. 세향도 옆에서 가슴을 쓸어내렸다.

"없어지기라도 한 줄 알았네요." 세향이 웃었다.

그때, 커다란 굉음이 센트럴 광장을 가득 채웠다. 갑작스러운 폭발음에 광장에 있던 모든 사람이 소리를 지르며 웅크리고 앉았다. 이후 돔 쪽에서 먼지구름이 자욱하게 피어올랐고, 아모르토는 그 광경을 보고 세향의 손을 붙잡았다. 식은땀이 흘렀다. 이어서 폭발음이 연달아 여러 번 들렸다. 귀를 막고 웅크리고 있던 사람들은 앞다투어 기차역으로 뒤돌아 뛰기 시작했고, 누군가는 반대로 돔을 향해 달리기 시작했다. 은색이 아닌 다른 색의 눈동자를 갖고 있는 사람들이었다. 제복을 입은 경찰들이 나타나 그들을 쫓아갔다.

세향은 아모르토의 이름을 불렀다. 눈물이 차오른 그녀의 눈을 발견한 아모르토는 자신이 쓰고 있던 모자를 벗어 세향의 머리에 푹 눌러 씌웠다. 눈 앞을 가릴 정도로 모자를 눌러놓은 뒤, 그녀의 손을 잡고 기차역으로 다시 뛰기 시작했다. '이탈자를 추방해라'라고 적힌 피켓을 들고 울부짖는 사람들, 길바닥에 앉아 귀를 막고 울고 있는 사람들, 욕을 하며 그들을 일으켜 세우려는 사람들을 모두 지나쳤다.

기차역은 아수라장이 되었다. 티켓 창구는 표를 구매하려는 사람들이 떼거리로 몰려가 가로막고 있었다. 역무원들은 흥분한 주민들을 안심시키기 위해 애썼다.

"진정하세요! 정부 추진입니다! 테러 같은 게 아닙니다!"

사람들은 그들의 말을 듣지 않았다. 설령 이게 정부가 한 짓이라고 해도 이게 테러가 아니면 무엇이냐며 아우성을 칠 뿐이었다. 아모르토는 역무원 눈을 피해 승강장으로 내려갔다. 그곳의 상황도 다를 게 없었다. 때마침 들어온 기차에 누가 먼저랄 것도 없이 몸부터 욱여넣었다. 아모르토도 세향을 잡아당겨 먼저 기차로 밀어 넣고는 뒤따라 탑승했다. 좌석 칸은 이미 만석이라 통로 쪽에 자리를 비집고 들어갈 수밖에 없었다. 저 멀리 승강장 계단에서 제복을 입은 경찰들이 뛰어 내려오는 게 보였다.

기차는 출발할 기미가 안 보였다. 아모르토는 세향의 모자를 더욱 눌러 씌우고는 세향을 세게 끌어안았다. 그리고 본인은 오히려 고개를 높게 들어 제복을 입은 경찰 무리를 쳐다보았다. 그중 한 명과 눈이 마주쳤고, 그는 아무 말 없이 둘을 지나쳤다. 끌어안은 세향의 몸이 바르르 떨렸다. 아모르토의 심장 소리가 귀에서도 울렸다. 그렇게 무사히 탈출한 줄 알았다.

집 앞에서 둘을 기다리고 있는 건 평범한 옷차림에 허리춤에는 총을 달고 있는 남자 둘이었다. 아모르토는 세향의 손을 붙잡고 다시 뒷걸음쳤으나, 이번에는 세향이 우두커니 자리를 지키고 고개를 천천히 저었다. 아모르토는 숨을 거칠게 몰아쉬면서 주변을 둘러보았다.

고개만 빼서 구경하던 옆 가게 아주머니와 눈이 마주쳤지만, 그녀는 재빠르게 눈을 피했다. 세향의 손을 꽉 붙잡고 있던 아모르토의 손이 힘없이 스르르 풀렸다. 세향은 조용히 모자를 벗어 아모르토에게 씌어 주었다.

"박세향 씨, 같이 가주셔야겠습니다. 이탈자는 모두 강제 추방하기로 결정이 나서요."

"윗분들이 좀 성급하셔서 퇴로부터 차단하긴 했는데, 곧 다리가 만들어질 예정이니 그때까지만 참읍시다."

아모르토는 순순히 그들에게 다가가는 세향의 이름을 나즈막이 불렀다. 세향은 뒤돌아 아모르토를 눈에 담고는 어차피 가기로 하지 않았냐며 힘겹게 웃었다. 세향은 손을 들어 아모르토의 볼을 어루만졌다. 그녀의 검은 눈동자가 눈물 때문에 일렁였다.

남자 둘은 따라가겠다며 다가오는 아모르토를 밀쳐냈다. 그리고 각자 마땅히 있어야 할 곳을 지켜야 하지 않겠느냐며 씨익 웃었다. 그렇게 아모르토는 연행되어 가는 세향의 뒷모습을 멍하니 쳐다볼 수밖에 없었다. 그 왜소한 뒷모습이 시야에서 사라질 때까지 오랫동안 말이다.

"그렇게 가면 못 돌아오잖아." 아모르토가 결국 그 자리에 주저앉았다.

이탈자 송환일이 다가왔다. 그동안 아모르토는 수도 없이 면회 신청을 했지만 모두 거부당했다. 불필요하게 정을 붙이지 말라며, 어차피 이쪽 사람도 아닌데 뭘 그렇게 집착하냐는 말도 수도 없이 들었다. 하지만 아모르토는 매일 구치소 앞을 서성거렸다. 송환일 당일에도 세향의 얼굴을 보기 위해 달려가 기다렸지만, 모두 뒷문으로 내보냈다는 답변을 받고 돔을 향해 전속력으로 달렸다.

이미 푸른빛의 돔 주변에는 이탈자 추방을 직접 목격하려는 인파가 몰려있었다. 사람들을 밀치고 앞으로 나간 아모르토는 돔 주변에 생긴 절벽을 보며 이를 앙다물었다. 그 폭발음은 저 절벽을 만들며 발생한 것이었다. 끝을 알 수 없는 아찔한 절벽 위로 임시로 만든 조악한 다리 하나만이 아슬아슬하게 이어져 있었다. 발을 헛딛으면 추락할 터였다.

"비키세요!"

뒤를 돌아보니 경찰 둘을 필두로 이탈자들이 줄지어 걸어오고 있었다. 인파는 옆으로 갈라지며 길을 터주었다. 아모르토는 일자로 걸어오는 이탈자들의 얼굴을 살폈다. 초췌한 얼굴에 빛을 잃은 눈동자들. 아모르토는 한 사람 한 사람을 눈에 담으며 뒤로 나아갔다. 뒤로 갈수록 그의 발걸음이 더욱 빨라졌다. 그리고 줄의 마지막에는 세향이 꼿꼿이 허리를 세우며 걸어오고 있었다. 추레한 옷차림과는 달리 머리카락만큼은 단정하게 묶여있었다.

앞사람의 머리만 쳐다보며 걷던 세향은 누군가가 다가오는 인기척에 고개를 돌렸다. 아모르토가 세향을 향해 손을 뻗으며 다가왔고, 세향 또한 그를 발견하고는 손을 뻗었다. 서로에게 닿기 위해 손가락 끝까지 힘이 들어갔다. 하지만 곧 둘은 뒤따라오던 경찰에 의해 저지당

했다. 아모르토는 절규했다.

주변의 구경꾼들은 경찰에게 붙잡혀 눈물을 흘리는 아모르토와 세향을 보며 웅성거렸다. 그중에서는 둘을 알아보며 혀를 차는 사람들도 더러 있었다. 둘이 서로에게 스며드는 과정을 직접 목격했던 사람들이었다.

맨 앞에서 걸어가던 경찰 한 명이 무슨 일이냐며 다가왔다. 그는 아모르토의 얼굴을 보고는 한숨을 쉬었다. 그리고 고개를 한 번 끄덕였다. 매일 아모르토가 찾아가 애원하던 그 사람이었다. 3분이라는 짧은 시간이 주어졌다.

아모르토는 그날 센트럴로 나가지 않고 도망쳤어야 한다며, 미안하다고 흐느꼈다. 세향은 그런 아모르토를 껴안아 주며 토닥였다. 그저 어쩔 수 없는 것이라는 덤덤한 말로 그를 위로했다. 이마에 상처가 생겼을 때부터, 혹은 맨 처음 아모르토의 매장에 서성거렸을 때부터, 이 순간은 필연적으로 왔을 거라며 그의 눈물을 훔쳤다.

"우리 집 창고에 당신을 위해 선물을 남겨놨어요. 집으로 꼭 돌아올게요."

그 말을 끝으로 그녀는 곧바로 연행되었고 돔으로 향하는 다리에 올랐다. 맨 마지막 이탈자였다. 한 발짝씩 앞으로 나아갈 때마다 다리가 출렁였다. 아모르토가 경찰들을 뿌리치고 함께 다리에 오르려고 했지만, 그녀는 뒤돌아서 그에게 손을 흔들었다. 그러고는 아모르토의 외침을 뒤로하고 힘차게 걸어가 조용하고도 우아하게 돔의 벽을 통과했다. 마치 잠시 외출한 것 같은, 미련없는 인사였다.

아모르토는 집으로 돌아와 곧바로 창고로 향했다. 한참을 창고 문 앞에서 서성이던 그가 문을 열었을 때, 그의 눈앞에는 우아한 곡선의 나무 외관에 하얀색과 검은색이 교차된 긴 열쇠들이 매끄럽게 줄지어 있는, 고풍스럽고 아름다운 악기가 있었다.

"조율을 해줘야겠네." 아모르토는 중얼거렸다. 그의 눈가가 아직 촉촉하게 젖어있었다.

꿈의 경계선을 넘어 봤나요?

발행 2024년 07월 19일
지은이 최원진
디자인 조미진
펴낸이 정원우
펴낸곳 글ego
출판등록 2019.06.21 (제2019-000227호)
주소 서울시 강남구 강남대로 118길 24 3층
이메일 writing4ego@gmail.com
홈페이지 http://egowriting.com
인스타그램 @egowriting

ISBN 979-11-6666-526-4